MOSAÏQUES
MUSÉE
ARDO

D1280790

Aïcha Ben Abed Ben Khader

MOSAÏQUES DU MUSÉE DU BARDO

COLLECTION ART ET HISTOIRE

ISBN 9973 - 19 - 355 - 5
© 1998 Cérès Éditions
6, Av. A. Azzam
1002 Tunis

La mosaïque représente l'art par excellence de l'époque romaine. Ce nom, dérivé de celui des Muses, désigne un type de pavements réalisé au moyen de petits éléments cubiques, les tesselles, taillés dans différents matériaux (marbres et calcaires polychromes, terre cuite, pâte de verre...) et juxtaposés pour former des décors. Conçues à l'origine pour recouvrir le sol, les mosaïques sont généralement exposées de nos jours sur les murs, faute d'espace, ce qui présente l'avantage pour le visiteur des musées de mieux contempler ces véritables tableaux.

La plus vaste mosaïque du Musée du Bardo, exposée sur le sol de la salle de Sousse, couvre une surface avoisinant les 140 m^2. Elle provient de l'*œcus* (la salle d'apparat), d'une somptueuse habitation construite par un éleveur de chevaux d'*Hadrumetum* (Sousse), au IIIe siècle ap. J.-C. Ce beau tapis de pierres est compartimenté en médaillons circulaires et hexagonaux ; au centre, Neptune, dieu de la mer, triomphe sur son char, entouré de son cortège marin. Le plus petit tableau de la collection du Bardo provient de Gightis, l'actuelle Bou Ghrara, non loin de l'Ile de Jerba. Réalisé avec de minuscules tesselles, de 2 à 5 mm de côté, sur un support de terre cuite, il figure un pêcheur. Cette œuvre appartient à la série des *emblemata*, équivalent des tableaux de chevalet, chefs-d'œuvre réalisés par les artistes dans leurs ateliers puis insérés ensuite dans le pavement.

Toutes les mosaïques présentées au Bardo proviennent d'un contexte architectural précis : une maison privée, des thermes publics, un marché, une boutique, une basilique, etc. Elles ont été déposées selon des méthodes traditionnelles, peu coûteuses, par l'équipe de mosaïstes attachée au Musée. L'opération consiste d'abord dans le nettoyage systématique de la surface, que l'on recouvre d'un solide tissu enduit d'une épaisse couche de colle. Lorsque le tissu adhère bien au pavement, on le laisse sécher pendant plusieurs heures. L'opération se poursuit par le traçage, sur la surface, de lignes de découpage respectant le plus possible la composition initiale du dessin. Puis, à l'aide de lames introduites délicatement sous les tesselles, on procède alors à l'enlèvement des différents panneaux, en les décollant de la dernière couche du support en mortier, le *nucleus*. L'opération se termine par la pose des diverses parties de la mosaïque sur un nouveau support composé de plâtre sur armature de bois ou de ciment armé. Enfin, les mosaïstes effectuent le raccord des panneaux.

Aujourd'hui, le public qui visite le Bardo admire ces mosaïques comme de précieuses œuvres d'art, réalisées voici près de deux millénaires par des artisans romano-africains, témoignages de leur ingéniosité et de leur maîtrise de techniques très spécialisées. Ces documents constituent aussi des sources importantes pour la connaissance de l'Afrique antique : conditions de vie, croyances, mentalités, paysages, activités, loisirs, etc. Ils nous éclairent également sur les méthodes employées par les Anciens pour résoudre les problèmes de la représentation figurée (procédés de narration, perspective, mise en page des différentes scènes) ou l'adaptation des formes géométriques à l'espace architectural.

La tradition hellénistique et ses modèles (IIe siècle ap. J.-C.)

Bien que la technique de la mosaïque apparaisse à Carthage et à Kerkouane, ville punique du Cap Bon, dès les IVe et IIIe siècles avant J.-C., les plus anciens pavements de la collection du Bardo ne remontent qu'au IIe siècle après J.-C., période où s'affirme la romanisation de l'*Africa*. Les cités se dotent alors d'une infrastructure monumentale impressionnante, tandis que les particuliers commandent de belles demeures aux sols pavés de mosaïques riches et variées. Les ateliers africains sont donc dès lors très sollicités et commencent à élaborer leur propre style, se dégageant progressivement de la tradition italienne.

Le magnifique ensemble découvert à Acholla, site du littoral, au nord de Sfax, illustre bien la production africaine du IIe siècle. Exposées aujourd'hui sur les murs d'une grande salle du second étage du Musée, ces **mosaïques d'Acholla*** (p. 65, 67) proviennent de bains appelés les Thermes de Trajan et d'une habitation privée.

L'une d'elles attire particulièrement l'attention, tant par sa conception que par ses thèmes. Elle recouvrait le sol du *frigidarium*, la salle froide, pièce principale des Thermes dits de Trajan, et représente la projection en deux dimensions de la structure et du décor d'une voûte d'arête et de deux voûtes en berceau. La voûte d'arête, qui occupait le centre, est figurée par un grand carré bordé d'une ligne de crénelures. Elle comprend une première frise ornée de combats de centaures et de fauves, puis une seconde frise décorée d'un rinceau stylisé peuplé de petits personnages fantastiques et d'animaux traités dans des tons ocres pour suggérer la dorure du plafond qu'elle veut imiter. Le troisième registre comprend différentes scènes, variations sur le thème des aventures amoureuses des Satyres et des Ménades, personnages de la mythologie du dieu Bacchus. Les arêtes de la voûte sont indiquées par des bandes diagonales et médianes décorées d'éléments végétaux stylisés accompagnés également de personnages fantastiques. Ce tableau est fortement endommagé. Les voûtes latérales étaient figurées par des rectan-

---

* Le titre des mosaïques figurant dans le livre est indiqué en gras.

gles : une seule est conservée au Musée, représentant une frise de végétation stylisée et de personnages fantastiques. La deuxième bande est peuplée de monstres aquatiques, de divinités marines, les Néréides, et d'Amours. La bande centrale comprend un carré au centre orné d'un Bacchus, dieu de la vigne et du vin, triomphant sur son char tiré par deux centaures, êtres mythiques au corps de cheval, ainsi que deux médaillons circulaires contenant une tête féminine symbolisant une saison, ici l'hiver et le printemps. Le style de ces tableaux s'inscrit dans la tradition de l'art hellénistique, non seulement par les thèmes traités, mais aussi par les techniques utilisées pour le rendu des figures.

Cette influence hellénistique se retrouve dans la *mosaïque d'El Alia* (p. 43), à une vingtaine de kilomètres au sud de Mahdia. Sur un front de mer évoquant le littoral égyptien, se développent des habitations dont certaines ornées de portiques, un bâtiment à entrée monumentale, un édicule abritant une statue, des huttes, des Egyptiens s'adonnant à leurs travaux quotidiens. Sur les rives d'une mer poissonneuse s'activent deux équipes de pêcheurs qui halent un filet tiré par des bœufs ; d'autres pêcheurs voguent sur des barques ou sont assis sur un rocher. La finesse de l'exécution de cette mosaïque est remarquable, tout comme l'emploi à profusion de tessèles en pâte de verre multicolores. Le thème de la représentation des bords du Nil (d'où le nom de mosaïques «nilotiques») connut un grand succès dans la mosaïque et la peinture antiques : il symbolise à la fois les richesses de cette terre où s'épanouit la brillante civilisation alexandrine et les mystères de l'Egypte pharaonique qui fascinait les Anciens autant que nous.

C'est probablement à la même époque, dans la seconde moitié du IIe siècle, qu'un atelier de La Chebba, dans la région de Sfax, réalisa pour un propriétaire la magnifique mosaïque du *Triomphe de Neptune* (p. 37), qui comprend, outre un médaillon central figurant le dieu de la mer sur son char, les quatre saisons placées sur les diagonales, associées à leurs plantes habituelles (blé, olive, vigne, roseau) et les travaux correspondant aux saisons. La composition du pavement permet de l'observer sous différents angles. Ce thème des Saisons, très prisé par les Africains, est lié à l'idée de fécondité de la nature et, partant, à la notion de richesse. Cette mosaïque est sans conteste l'une des plus remarquables, par le degré de perfection atteint dans l'exécution des figures, les dégradés subtils de couleurs et la souplesse de la composition.

L'épanouissement du style africain (IIIe siècle)

C'est à la fin du IIe siècle et au début du IIIe siècle que la mosaïque africaine prend son véritable essor pour parfaire et imposer son propre style. Cette évolution accompagne le développement considérable de l'Afrique au sein d'un Empire romain alors à son apogée et dont l'importance est soulignée par l'accession au pouvoir de la dynastie des Sévères, originaire de Lepcis Magna, en Libye actuelle.

De cette période date un important ensemble de mosaïques, dont la majeure partie est aujourd'hui exposée au Musée du Bardo. Plusieurs d'entre elles proviennent de la célèbre Maison des *Laberii* (ou d'Ikarios) à Oudna, à une quinzaine de kilomètres au sud de Tunis, possédée par de très riches propriétaires et dont la fouille a livré des dizaines de mosaïques dont beaucoup comportent des scènes figurées.

Signalons tout spécialement deux célèbres tableaux exposés au sol de la Salle de Carthage. L'un est un panneau centré sur Bacchus ; à sa gauche se tient Ikarios, généreux paysan à qui le dieu fait don de la vigne et à droite, un roi de l'Attique, la région d'Athènes. Ce panneau est inséré dans une fort belle composition de ceps de vigne partant de quatre cratères placés aux angles. Des Amours vendangeurs donnent à la mosaïque une forte impression de vie. Le second pavement figure des travaux champêtres ; ce document se révèle une source importante pour la connaissance de la vie quotidienne dans la campagne africaine. Cette mosaïque est composée de deux tapis : l'un, orné de médaillons carrés peuplés d'animaux et de volatiles, court sur trois côtés. L'autre, de forme rectangulaire, est animé de scènes vivantes : les labours, le retour du bétail, la chasse aux oiseaux, la représentation d'un puits à balancier où s'abreuve un animal, la cueillette des olives, une chasse à courre et une chasse aux fauves, le tout disposé de façon à être visible de trois côtés.

Le même site d'Oudna a également livré quatre fragments de petits tableaux ou *emblemata*, réalisés en atelier au moyen de minuscules tesselles, de 2 mm de côté, sur un support de terre cuite, puis insérés dans le pavement. Deux de ces *emblemata* représentent des reliefs de repas (coquilles d'œufs, feuilles séchées, épluchures, arêtes de poissons...) d'après un modèle créé par le peintre hellénistique Sôsos de Pergame. Ce thème du pavement non balayé (*asarôtos oikos*) connut une certaine vogue dans le répertoire des mosaïques : outre l'effet illusionniste, il évoque aussi une croyance des Anciens ; en effet, tout ce qui tombait à terre au cours du repas était réservé aux défunts.

La salle d'Oudna offre d'autres pavements: l'enlèvement d'Europe par Jupiter transformé en taureau ; *Sélènè* (la lune) contemplant le jeune berger *Endymion* (p. 47) endormi sous un arbre. Enfin, un autre tableau, de forme trapézoïdale, représente Vénus à sa toilette entourée de deux Néréïdes dans une mer poissonneuse.

Pour la même époque, le Bardo ne dispose que de peu de documents provenant de Carthage même. Néanmoins, la *mosaïque figurant un cirque* (p. 28), trouvée dans le secteur de l'Odéon, constitue l'une des pièces importantes du Musée. Il s'agit d'une vue développée présentant à la fois l'intérieur et l'extérieur du monument, selon un code de représentation habituel dans l'Antiquité. La façade extérieure est figurée par deux rangées superposées d'ouvertures. A l'intérieur, la *spina*, massif de maçonnerie, occupe le centre de la piste et permet ces périlleux virages qui enthousiasmaient les spectateurs. Quatre attelages, des quadriges, participent à la course : trois se dirigent dans un sens et le quatrième emprunte le chemin inverse ; il s'agit sans doute de l'aurige (conducteur) vainqueur de la course qui se rend à la remise du prix. Nous nous trouvons là devant un témoignage de première importance pour la connaissance du cirque, spectacle qui connut un vif succès dans le monde romain, et particulièrement en Afrique, comme l'attestent les textes.

C'est aussi durant la première moitié du IIIe siècle que les ateliers africains donnent libre cours à leur imagination pour élaborer le fameux style «fleuri», composé de trames végétalisées, dont il faut chercher les origines en Italie, dans le palais construit par l'empereur Hadrien à Tivoli, au début du IIe siècle. Ce style est caractérisé par le traitement des canevas géométriques, plus ou moins complexes, au moyen d'éléments végétalisés ou de baguettes feuillues. Les éléments de la composition sont souvent enrichis de petites figures soigneusement exécutées ou d'élégants fleurons, tel ce beau pavement, au-dessus de la porte reliant le couloir XXV au hall central, provenant de la Maison du sarcophage à Carthage. Il s'agit d'une composition de sinusoïdes dessinées par un rinceau de feuilles d'acanthe. Une autre mosaïque du même style est exposée dans la salle XXXI : elle figure une composition de cercles

tangents réalisés par des rinceaux de vignes et ornés de masques de théâtre et d'avant-trains d'animaux. Ce style des trames végétalisées connaîtra un grand essor aussi bien en Afrique que dans les autres provinces romaines ; les villes qui évoluent dans l'orbite de Carthage l'adopteront au cours du IIIe siècle et le reproduiront abondamment, avec de nombreuses variantes tant dans les formes géométriques que dans le choix des végétaux utilisés comme contours (acanthes, rameaux d'olivier, branches fleuries, etc.)

Le site de Thuburbo Majus, à environ 60 km au sud-ouest de Tunis, a livré un vaste ensemble de pavements à trames végétalisées dont deux se trouvent actuellement conservées au Bardo. La ***mosaïque du poète tragique*** (p. 63), exposée au second étage, représente une composition d'octogones et de carrés réalisés au moyen d'éléments végétalisés et ornés d'épaisses couronnes de laurier et de fleurons. Légèrement décentré vers le bas, un panneau figure un poète, assis sur un fragment de colonne, regardant pensivement un *volumen* (rouleau de papyrus) devant un autel sur lequel sont posés deux masques de théâtre. Telle est la représentation classique du poète ou de l'acteur, du *mousikos anêr*, «l'homme des Muses», c'est-à-dire de l'homme cultivé, idéal de l'élite de cette époque. L'autre pavement, également présenté au second étage, est construit selon un canevas d'octogones et de carrés dessinés par de fines baguettes feuillues. Les octogones, ornés de couronnes de lauriers, sont meublés des divers animaux sauvages produits dans les spectacles de l'amphithéâtre. Le panneau principal, décentré, représente **Diane**, déesse de la chasse, **chevauchant un cerf** (p. 68), munie de sa lance et de son carquois. De part et d'autre de ce panneau se tiennent un personnage nu devant un autel et un gladiateur. Les différences de style et le manque de cohérence de l'ensemble font penser à une maladresse des mosaïstes.

D'autres sites proches de Carthage ont livré des chefs-d'œuvre. Tel est tout particulièrement le cas d'Utique, à environ 35 km au nord de Tunis, où a été découverte une scène marine, dans les thermes de la Maison dite de Caton. Exposée dans la «salle d'Ulysse», elle offre une composition organisée en registres : au niveau supérieur domine une belle tête d'Océan, très caractéristique avec ses pattes de crustacés, à la barbe abondante ruissselant d'algues. Au-dessous, le couple formé par le dieu Neptune et sa compagne Amphitrite se tient debout sur un char tiré par quatre chevaux marins. Au troisième registre, se présentent deux Néréides assises sur le dos de tigres marins, évoluant dans une mer remplie de poissons. Plus bas, le tableau s'élargit et s'anime avec trois rangées d'Amours ailés combattant sur des oiseaux volant en tous sens, au-dessus de trois barques où ont pris place des Néréides entourées d'autres Amours chevauchant des dauphins, pour se terminer avec deux rangées de monstres marins et de Néréides. La composition de ce tableau, connu comme le **ballet aérien** (p. 57), est très

ingénieuse ; le thème des Amours juchés sur des oiseaux et jouant dans l'espace est tout à fait exceptionnel. L'autre tableau provient d'une habitation privée ; il représente, sur un fond blanc, une **Diane chasseresse** (p. 69) décochant une flèche en direction d'une gazelle qui broute les feuilles d'un arbre marquant le centre du tableau. Cette mosaïque présente de grandes qualités d'équilibre dans sa composition et un soin tout particulier a été apporté à la figuration très élégante de la déesse.

Dans cette production abondante de mosaïques en Afrique au IIIe siècle, la Byzacène, qui correspond au centre et au sud de la Tunisie actuelle, occupe une place de choix. La capitale artistique de cette région est incontestablement El Jem, l'antique *Thysdrus* dont l'essor culturel est lié au rôle de centre économique fondé sur le commerce de l'huile d'olive. El Jem constitue aujourd'hui l'un des hauts lieux de l'archéologie tunisienne et possède son propre musée. L'essentiel des mosaïques créées dans ses ateliers date de la seconde moitié du IIe siècle et surtout de la première moitié du IIIe siècle. Signalons tout particulièrement au Bardo deux pavements de *xenia* (p. 38, 39) qui recouvraient le sol de salles à manger. On désigne par ce terme de *xenia* la représentation de «natures mortes» : des animaux, des poissons, crustacés et mollusques, des légumes, des fruits et des fleurs, qui étaient à l'origine des offrandes faites aux hôtes de la maison. Ainsi ce motif des *xenia* sur la mosaïque symbolise-t-il la richesse, l'abondance et la fécondité. Très prisé par les mosaïstes africains, il fut reproduit à grande échelle avec des variantes locales.

Un autre pavement exposé au sol de la salle d'El Jem illustre l'un des thèmes les plus répandus dans les mosaïques de cette ville : le Triomphe de Bacchus. Une vaste composition de ceps de vigne part de quatre grands vases à vin, des cratères, placés aux angles. Sur un côté se tient Bacchus, victorieux, monté sur son char tiré par deux tigresses conduites par Pan, l'un des membres familiers du cortège du dieu. Une Victoire ailée pose une couronne sur la tête du dieu du vin, sous l'œil attentif d'un Silène barbu. Le char divin est suivi d'une Ménade ou danseuse, tenant un thyrse, bâton recouvert de lierre et se terminant par une pomme de pin, symbolisant l'éternité, et un tambourin. Sur le côté opposé, on peut observer un Silène ivre porté par un âne, précédé par un Satyre. Sur le reste du pavement, parmi les rinceaux de vigne, sont dispersés des tigres et des Amours.

Dans la même salle du musée se trouve une scène de chasse à courre où, dans un paysage d'oliviers et d'arbustes, rappelant celui du Sahel, deux cavaliers et un rabatteur partent pour la chasse. Au centre, deux chiens -lévriers ou sloughis- flairent le gibier caché dans un buisson, tandis que dans la partie inférieure du tableau commence la poursuite du lièvre. Ce thème de la chasse, part importante de la vie des grands aristocrates africains, connaîtra un grand essor aux IVe et Ve siècles surtout.

Un autre pavement d'El Jem est aujourd'hui exposé dans la salle d'Ulysse. Il représente une belle composition de guirlande de laurier centrée sur un carré avec, aux angles, quatre médaillons circulaires contenant chacun une figure féminine symbolisant une Saison. Au centre se déroule un épisode mythologique célèbre, le *concours musical entre Apollon et le satyre Marsyas* (p. 58) qui sera, à l'issue de cette joute, condamné à être écorché pour avoir osé défier le dieu des Arts. A droite est représenté Apollon reconnaissable à sa lyre ; au centre, Marsyas joue de sa double flûte ; derrière lui, se tient Olympos, élève et fils de Marsyas, tandis qu'à gauche apparaît l'arbitre du concours, la déesse Athéna, casquée, dans une attitude souveraine.

Evoquons pour terminer un beau pavement d'El Jem, exposé dans une galerie de la salle de musique, représentant une composition d'entrelacs de cercles réalisés par une guirlande de laurier. Ces médaillons contiennent des animaux et des oiseaux tandis que la scène centrale représente Diane chasseresse munie de son arc, accompagnée d'un daim évoluant dans un paysage représenté par deux arbres et des touffes d'herbe.

Une autre cité célèbre de Byzacène, capitale politique de cette province au Bas-Empire, a largement contribué à l'épanouissement de la mosaïque : il s'agit d'*Hadrumetum*, l'actuelle Sousse. La ville possède son propre musée archéologique, très riche, mais le Bardo conserve, outre l'impressionnant pavement de la maison de Sorothus, dont il a été question plus haut, un autre petit panneau représentant le déchargement d'un navire. Au centre est figuré le bateau, dont le grand mât a été abattu, et sur lequel se tient un homme soulevant des barres que deux autres transportent vers le rivage. Là se tiennent deux personnages, de part et d'autre d'une balance, effectuant *la pesée de la marchandise* (p. 33). Ce document constitue un important témoignage iconographique sur les pratiques commerciales à l'époque romaine.

C'est également de Sousse que provient la mosaïque la plus célèbre du Bardo, représentant le poète *Virgile* (p. 51). Découvert sur le sol d'une maison, le tableau représente le grand poète latin Virgile, assis sur un siège à dossier, vêtu de la toge. Son regard est fixé au loin, comme vers l'éternité; sur ses genoux est posé un *volumen*, livre en rouleau de papyrus, sur lequel on peut lire le huitième vers de l'*Enéide*. De part et d'autre du poète se tient une Muse : à droite, Melpomène, muse de la Tragédie, reconnaissable à un masque et à gauche Clio, muse de l'Histoire, tenant elle aussi un *volumen*. Malgré sa célébrité, ce tableau demeure l'objet de controverses : pour des considérations historiques et stylistiques, certains l'attribuent au IIIe siècle, d'autres au IVe siècle de notre ère. Trois siècles au moins séparent donc le poète vivant de ce portrait posthume et l'on ne saurait préjuger de sa fidélité au modèle.

Ainsi donc, grâce à quelques-unes des mosaïques du Bardo, avons-nous pu étudier les caractéristiques de l'école africaine au IIIe siècle. Elle se distingue non seulement par sa grande maîtrise de la technique, alliée à un engouement pour la polychromie, mais aussi par la richesse de son répertoire géométrique et floral autant que par la variété de ses thèmes figurés. Avec beaucoup d'imagination et de créativité, des scènes mythologiques côtoient de multiples illustrations de la vie quotidienne. Cet élan va se poursuivre et s'amplifier au IVe siècle.

L'âge d'or de la mosaïque africaine (IVe siècle)

Jusqu'à une date récente, le IVe siècle était volontiers considéré comme une période de déclin et de décadence, après les brillants IIe et IIIe siècles, apogée de la présence romaine en Afrique. Or, depuis quelques années, les progrès de la recherche et la multiplication des découvertes archéologiques amènent historiens et archéologues à estimer qu'au IVe siècle, l'Afrique du Nord représentait encore dans l'Empire une région pleine de vie et de ressources. Effectivement, durant cette période, les mosaïstes africains s'affranchissent définitivement de l'emprise de l'école italienne pour devenir un grand centre de rayonnement dans tout le bassin occidental de la Méditerranée, comme le prouve notamment le célèbre ensemble de Piazza Armerina, en Sicile, œuvre d'artistes venus de Carthage. Aujourd'hui, certains spécialistes n'hésitent pas à déceler l'influence africaine jusqu'en Angleterre. Plusieurs mosaïques du Musée du Bardo illustrent parfaitement ce dynamisme de la création. Elles proviennent essentiellement des ateliers carthaginois et d'autres de la province d'Afrique Proconsulaire, tout particulièrement de Thuburbo Majus, de Dougga, du Kef, de Thala, d'Ellès...

De la Carthage de cette époque, le Bardo conserve quelques mosaïques. Le pavement de la Maison de la Volière recouvrait une partie de la cour centrale d'une riche demeure de la colline de l'Odéon : il est composé d'une jonchée de branches fleuries et de rameaux chargés de fruits, accompagnés d'une grande variété de volatiles et de quadrupèdes. Un grand fragment est aujourd'hui exposé au mur de la salle de Dougga. Cette mosaïque, suggérant une impression de richesse et d'abondance, évoque en même temps l'idée d'un espace fleuri, au centre de la maison. Ce genre d'artifice se rencontre déjà dans la peinture pompéienne.

La salle d'Ulysse abrite deux autres belles mosaïques de Carthage. L'une, représentant le *couronnement de Vénus* (p. 56), provient de la salle à manger d'une grande maison découverte sur la colline de Byrsa. Au centre du tableau, la déesse de l'amour et de la beauté, Vénus, à demi-nue, pose sur sa tête une couronne sertie de pierres précieuses. Le trône de la déesse est surmonté d'un dais orné de cabochons. De part et d'autre, voguent, sur une mer poissonneuse, deux barques où ont pris place des musiciennes naines. Le second tableau représente également une scène marine animée par une Néréide et des Amours au

milieu d'une faune marine abondante et variée. En haut, se développe, de manière scénographique, l'architecture d'une maison installée sur le bord de mer. La mosaïque est bordée d'une riche guirlande de laurier ornée de fruits, de masques et de rubans.

Parmi les mosaïques exposées dans la salle XXVII, deux, fort connues, ont été découvertes à Carthage. L'une provient d'une maison située près des citernes de Borj Jedid, dans le parc de l'actuel palais présidentiel. Elle représente, au registre supérieur, la figure d'un paon faisant la roue, entouré d'une large bande géométrique circulaire. Au registre inférieur figurent quatre chevaux de course séparés par des cylindres, ornés de cabochons, d'où s'échappent des plantes -des épis de blé, des roses, des grappes de raisins, des branches d'olivier- symbolisant les quatre Saisons, successivement l'été, le printemps, l'automne et l'hiver. Ce thème, souvent répété, évoque des *chevaux vainqueurs* (p. 59), comme l'attestent les cylindres de prix, hauts récipients de bronze remplis de pièces d'or, destinés à récompenser la victoire dans les courses du cirque.

L'autre pavement décorait l'abside d'une salle de réception dans une maison située sur la colline de Junon, à Carthage. Cette mosaïque, bordée par un rinceau d'acanthe, retrace les différents épisodes de la *Chasse au sanglier* (p. 60). Au bas du tableau, on observe le départ de deux personnages avec des chiens ; au centre est figurée la capture du sanglier en présence de deux valets et d'un chien alors qu'au sommet de l'abside on assiste au retour des chasseurs transportant la dépouille du sanglier.

Egalement de Carthage et du IVe siècle, le Bardo possède une célèbre *scène de banquet* (p. 45), malheureusement très endommagée, exposée dans la salle d'Althiburos. Dans un espace ovale, délimité par une guirlande de laurier, sont disposées des tables et des bancs, sur lesquels ont pris place des convives en train de festoyer. Des serviteurs s'avancent, présentant des plats, alors qu'au centre du tableau évoluent des musiciens et des danseuses. La disposition des tables et des bancs, les vêtements des convives, l'animation du repas offrent autant d'indices sur la vie sociale menée par les riches Carthaginois au IVe siècle.

Un autre site, qui continue à évoluer dans l'orbite de Carthage au IVe siècle, a livré au Bardo un important ensemble de mosaïques : il s'agit de Thuburbo Majus. Les mosaïques proviennent pour la plupart de demeures privées. Signalons tout particulièrement la maison dite des Protomés, dans le quartier occidental de la ville, où ont été mises au jour trois superbes mosaïques. La première provient du salon principal et comporte précisément ces protomés qui ont donné leur nom à la maison, c'est-à-dire des avant-trains d'animaux d'amphithéâtre : l'on reconnaît des zébus, des taureaux, des autruches, des panthères, un tigre, une lionne, un lion, deux sangliers, des ours, un cerf, une chèvre, un bélier, une antilope et un onagre. Ces figures sont inscrites dans des couronnes de laurier ; leur dispo-

sition révèle une grande recherche, pour donner au spectateur l'impression de scènes réelles de combat. Ce salon ou *œcus* ouvrait sur la galerie à colonnes entourant une cour. Le centre de cette cour était pavé d'une mosaïque représentant des Amours vendangeurs placés dans une composition très touffue de sarments et de feuilles de vigne qui partent de culots d'acanthe placés aux angles. Les couleurs, à dominante verte, jaune et brune, sont liées à l'automne. Ce tableau était entouré, dans les entrecolonnements, de quatre panneaux figurant des combats de fauves dans des paysages semi-désertiques. Enfin, les galeries, autour des scènes centrales, sont ornées d'une très riche *composition d'acanthes* (p. 52) où évolue une grande variété d'oiseaux dont un magnifique paon.

Une autre maison, toujours dans le quartier occidental de Thuburbo Majus, a livré deux panneaux exposés dans les salles marines du Musée. L'un figure un triomphe de Vénus inscrit dans une riche composition d'entrelacs de guirlandes de laurier. Le corps de la déesse nue se détache sur un manteau exécuté en cubes de pâte de verre. Vénus se tient debout sur un char tiré par quatre Amours ailés. La naissance marine de la déesse est évoquée par de grands coquillages figurés dans les angles. Le second pavement provient de la grande salle d'apparat, de plan tréflé, et représente une mer poissonneuse sur laquelle voguent des barques chargées de pêcheurs.

Une autre mosaïque, celle de Bacchus et Ariane, provient d'une maison située dans le quartier oriental de la cité. Elle représente Bacchus à demi-étendu, couronné de vigne et tenant ses attributs, le thyrse et le cratère. A ses côtés se trouve Ariane, à moitié nue, de dos, le visage de profil. Le couple est figuré assis sur une peau de panthère. Le second registre montre un Silène couché recevant un cratère des mains d'un Satyre. En haut du tableau se trouvent des Ménades et des Satyres, personnages de la mythologie bachique, évoluant devant un dieu Pan reconnaissable à ses jambes de bouc. Ainsi, ces mosaïques de Thuburbo Majus témoignent-elles, parmi d'autres éléments, de la richesse et du goût de la bourgeoisie locale au cours du IVe siècle.

Plus éloigné de Carthage, situé au nord-ouest du pays, le prestigieux site de Dougga, l'antique *Thugga*, a légué au Bardo l'une de ses plus célèbres mosaïques, probablement réalisée au IVe siècle. Il s'agit d'un épisode de l'*Odyssée*, **Ulysse et les Sirènes** (p. 54, 55) : le héros grec, sur un navire à voiles, attaché au mât, écoute, fasciné, le chant des Sirènes, alors que ses compagnons, dont les oreilles ont été volontairement bouchées, sont assis et détournent les yeux des dangereuses chanteuses. A droite, trois Sirènes sont représentées, mi-femmes, mi-oiseaux : l'une tient une double flûte et une autre la lyre ; derrière le bateau est figuré un pêcheur exhibant une énorme langouste.

C'est probablement du IVe siècle également que date une autre mosaïque de Dougga provenant du *frigidarium* des Thermes des Cyclopes.

Ce tableau met en scène trois géants, **les Cyclopes**, qui s'activent **dans la forge de Vulcain** (p. 35), dieu du feu. Le gigantisme des corps et les tons foncés utilisés pour leur modelé sont plutôt rares dans la mosaïque africaine. Un autre pavement de Dougga, exposé dans la même salle, figure des **échansons** (p. 34), de taille gigantesque, portant chacun une amphore et versant le liquide dans les coupes de deux personnages, habillés de tuniques courtes ; probablement s'agit-il d'athlètes après le combat. Derrière, se tiennent deux serviteurs, l'un portant une corbeille de roses et un rameau d'olivier, l'autre une amphore. Sur les amphores sont transcrites en caractères latins deux formules grecques signifiant «Bois» et «Tu vivras».

Au nord-ouest du pays, à environ 30 km au sud du Kef, le site d'Althiburos a légué au Bardo un célèbre pavement, le **catalogue des vaisseaux** (p. 40), découvert dans l'édifice des *Asclépieia*. Il s'agit en fait d'une partie d'un pavement plus grand, qui représente à l'une de ses extrémités une immense tête d'Océan, très caractéristique dans l'iconographie des mosaïques africaines, avec sa barbe végétalisée d'où s'échappent deux dauphins et deux pinces de homard sur le front. De l'autre côté se trouve un dieu fleuve figuré, selon l'habitude, à demi-étendu, entouré de roseaux et tenant une branche d'olivier. Le reste du panneau déroule une mer poissonneuse sur laquelle évoluent vingt-cinq embarcations de types différents, dont vingt-deux portent des noms, en grec ou en latin, avec parfois des citations qui nous renseignent sur leur nature. Ce document, exceptionnel pour notre connaissance de l'architecture navale romaine, a pourtant été trouvé à environ 200 km à l'intérieur des terres : son commanditaire, homme sans doute fort riche et cultivé, devait probablement sa richesse à la mer.

Un dernier pavement du IVe siècle mérite l'attention. Il provient de Thélepte et représente une scène de **combat entre un bestiaire et des lions** (p. 64). La scène centrale, bien qu'endommagée, est saisissante de réalisme. Au centre de l'arène se tient un bestiaire habillé d'une courte tunique qui enfonce de toutes ses forces un épieu dans la partie antérieure d'un lion, dressé sur ses pattes arrière, faisant jaillir le sang. L'enceinte de l'arène est indiquée par un mur recouvert de plaques de marbre, percé de portes. En haut de la scène sont représentées les rangées de spectateurs observant attentivement le combat.

De nombreux autres pavements du Bardo sont aujourd'hui considérés par les spécialistes comme des réalisations du IVe siècle, période dont nous avons souligné le grand dynamisme artistique, surtout pour Carthage et les villes qui évoluent dans son orbite.

La mosaïque chrétienne (Ve siècle)

L'esprit créatif continuera au Ve siècle dans la mosaïque africaine, présentant néanmoins une nette évolution vers le style de l'Antiquité tardive, caractérisé par une tendance à la schématisation dans les figures, un manque d'intérêt pour le rendu des perspectives, une platitude des paysages... Le Ve siècle voit se développer une mosaïque à thèmes et à motifs chrétiens, apparue dès la seconde moitié du IVe siècle, recouvrant le sol des basiliques et les couvercles des tombes. Les plus célèbres pavements de cette époque proviennent des fouilles de Carthage.

La **mosaïque du Seigneur Julius** (p. 31) a été découverte dans une maison située sur les pentes de la colline de Byrsa. Ce pavement, visible sous un seul angle, est constitué de trois registres : la composition s'articule autour de la représentation du domaine, évoquant les activités liées aux différentes saisons. Au centre du registre supérieur, à l'ombre de cyprès, est représentée la *Domina*, la maîtresse de maison, assise sur un banc, tenant un éventail ; à côté d'elle est posée une corbeille. Deux servantes s'avancent vers elle : l'une porte une corbeille de fruits et l'autre un agneau. Derrière ces personnages sont figurés deux oliviers, dont on fait la cueillette. A l'extrême gauche s'avance un personnage tenant deux canards, tandis qu'à l'extrême droite, sous des épis de blé, est assis un autre personnage accomplissant une tâche que l'on distingue mal, du fait de la dégradation de la mosaïque. Au centre du second registre se trouve la villa elle-même, constituée d'un bâtiment central, précédé d'un portique, avec deux avant-corps sur les côtés. Au second plan, sont figurées quatre salles à coupole appartenant sans doute à l'ensemble thermal habituellement présent dans ce genre de grands domaines. A gauche, on assiste au départ du propriétaire pour la chasse, monté sur un cheval et suivi d'un valet, alors qu'à droite on retrouve le reste de l'équipage, valets et chiens. Au bas du tableau, la maîtresse du domaine se tient debout, appuyée sur une colonne devant un siège. Elle s'adonne à sa toilette, aidée à droite par une servante, tenant un coffret à bijoux, qui lui tend un collier ; à gauche un jeune garçon lui présente une corbeille de roses, alors qu'à ses pieds, dans une partie également très endommagée, un personnage lui offre trois poissons. A droite, le Seigneur est à nouveau représenté. Cette fois, il est assis et tend la main à un valet qui, tout en portant deux volatiles, présente au maître un registre sur lequel on peut lire en latin *D(omi)no Ju(lio)*, «au maître Julius», ce qui permet l'identification du propriétaire. Derrière lui avance un autre valet portant sur le dos une corbeille de raisins. Le paysage est constitué d'arbres fruitiers et d'un pin parasol. Ce document est souvent utilisé pour illustrer la vie et les activités d'un grand aristocrate carthaginois de l'Antiquité tardive.

· Une autre mosaïque, celle du *sacrifice de la grue* (p. 42), probablement de la même époque, nous renseigne également sur l'élite carthaginoise du Ve siècle. Découvert dans le salon-*œcus* d'une maison du quartier de Salammbô, ce pavement est aujourd'hui exposé dans la salle d'Althiburos. Il présente une composition de cinq registres dominée au centre par la figuration d'un temple abritant les statues de Diane et d'Apollon présidant au sacrifice d'une grue. De part et d'autre du temple, dans un paysage de cyprès, se tiennent, dans une attitude figée, six chasseurs vêtus de longues tuniques et munis chacun d'une lance, assistant à la scène du sacrifice. Le reste du pavement relate les différents épisodes de la chasse. Au registre supérieur, s'effectue le départ pour la chasse à partir de la maison, dans un paysage de collines boisées. Le second registre représente les chasseurs aux prises avec les fauves, tandis qu'aux registres inférieurs, on assiste à la capture des bêtes. Ce tableau était initialement daté du IVe siècle, dans la mesure où l'on expliquait mal l'existence d'un thème païen en milieu chrétien, bien que le style de la mosaïque paraisse nettement plus tardif. Or, depuis quelques années, les archéologues découvrent de plus en plus de documents illustrant la mythologie classique datables non seulement du Ve siècle, mais également du VIe et peut-être même du VIIe siècle. En fait, cette iconographie de tradition païenne n'avait apparemment plus aucun contenu de nature religieuse ; elle servait plutôt de référence culturelle à une aristocratie encore pétrie de tradition classique.

C'est dans ce même contexte que s'inscrit une gigantesque mosaïque marine, trouvée dans le quartier sud-ouest de Carthage, entre le cirque et l'amphithéâtre ; elle pavait un grand bassin polygonal. Quelques fragments sont aujourd'hui exposés dans la salle marine du Musée du Bardo.

Le pavement représente une mer peuplée d'une riche faune marine. On reconnaît surtout d'énormes dauphins et des poissons, des animaux fantastiques, une belle **Néréide tenant une guirlande** (p. 49) et nageant près d'un dauphin, des Amours s'adonnant à divers jeux, dans un paysage marin de grottes et de rochers. Deux des fragments exposés offrent une large bande ornée de représentations de maisons et d'imposants monuments de front de mer qui se détachent sur un paysage de cyprès.

D'autres mosaïques célèbres du Bardo, du Ve siècle, figurant des représentations architecturales, proviennent de Tabarka et sont actuellement exposées dans la salle de Sousse. Ces pavements semi-circulaires appartenaient à une salle à manger de forme triconque, représentant cinq types de bâtiments à différentes fonctions. Devant l'un d'eux est assise une femme filant sa quenouille tout en surveillant des moutons. Sur un autre, le paysage est figuré par des arbres fruitiers et des branches de rosiers parmi lesquels évoluent des volatiles. Dans les deux autres, s'entremêlent des arbres fruitiers et des vignes. Cette iconographie est précieuse pour connaître les paysages et les activités de la vie quotidienne dans les grands domaines.

Parallèlement à ces représentations à connotation païenne, le Musée du Bardo possède une importante collection de mosaïques funéraires et de pavements de basiliques chrétiennes, provenant essentiellement de deux sites : Tabarka, dans le nord-ouest de la Tunisie et la région de Kélibia, dans le Cap Bon. Ces mosaïques, de forme quadrangulaire, recouvraient la tombe, à la manière des dalles funéraires ou des gisants. Ces pavements devinrent courants à partir du moment où l'on autorisa l'inhumation dans les églises, mais on rencontre aussi des mosaïques dans les cimetières. Ils recouvrent parfois des caissons funéraires mais sont, le plus souvent, insérés dans le pavement de l'église elle-même.

Les mosaïques tombales de Tabarka, exposées au rez-de-chaussée et dans l'escalier d'accès au premier étage du Musée, constituent une série importante de documents de cet art chrétien d'Afrique. Plusieurs représentent la figure du défunt debout, dans une position hiératique, entouré parfois de cierges. La partie supérieure comprend une épitaphe : la plupart du temps, elle se réduit au nom du défunt suivi de la formule *in pace*, «dans la paix», avec son âge ; dans certains cas, d'autres informations sont données, par exemple la fonction ou le métier. La croix avec le monogramme du Christ est souvent présente. Lorsque le défunt n'est pas figuré, le champ de la mosaïque tout entier est couvert par l'épitaphe, un chrisme et plusieurs motifs en rapport avec la symbolique chrétienne : des oiseaux, un cratère, des roses...

Dans l'ensemble de Tabarka se distinguent trois mosaïques, provenant de la Chapelle des Martyrs. La première est celle de l'**Ecclesia mater** (p. 23), «l'Eglise mère», et recouvrait la tombe d'une certaine *Valentia.* Cette mosaïque figure la structure d'une église où l'on peut reconnaître l'abside, les trois nefs, l'autel sur lequel brûlent trois cierges, le sol recouvert d'une mosaïque représentant des oiseaux et même la toiture du monument. Le second panneau comporte en haut un personnage barbu, assis devant une table, en train d'écrire. En bas, se tient une femme debout, les bras levés, dans la position de l'orante, c'est-à-dire en train de prier. Elle est entourée de volatiles, d'un cierge et de branches de rosier. L'épitaphe de cette jeune femme mentionne son nom, *Victoria* (p. 22). Le personnage qui l'accompagne pourrait être son père, peut-être un notaire ou un scribe. Le troisième pavement recouvrait la tombe d'un diacre nommé *Crescentius* ; la longue épitaphe le qualifie de martyr et énumère ses qualités. Le registre supérieur est occupé par une scène de chasse où les diverses figures sont exécutées avec beaucoup de maladresse.

La survie de la mosaïque antique (VIe-VIIe siècles)

La production de mosaïques continue tout au long du VIe siècle, avec, néanmoins, un certain ralentissement par rapport aux époques précédentes.

Parmi les pavements de cette fin de l'Antiquité, se signale une série de panneaux appartenant à la basilique dite de Bir Ftouha à Carthage, exposés dans la salle chrétienne. Ils proviennent d'une grande mosaïque comportant initialement plus de cinquante motifs dont celui des quatre fleuves du Paradis. Un autre pavement très connu provient du monastère dit de Saint-Etienne : il représente sept couronnes de laurier avec le nom de saints dont les célèbres martyres de Carthage, Perpétue et Félicité.

Parmi toutes ces mosaïques chrétiennes conservées au Bardo, celle qui recouvrait le ***baptistère de Kélibia*** (p. 26) est la plus spectaculaire. A l'origine, cet édifice était rattaché à une église et se trouvait installé dans une petite salle elle-même pavée de mosaïque. La cuve baptismale, à laquelle on accède par quelques marches, est de forme quadrilobée. Ses parois sont ornées de motifs chrétiens : des cierges allumés, une croix sous un *ciborium*, une coupe entre deux oiseaux, l'arche de Noé sous forme d'un coffre en bois, des oiseaux, un rameau d'olivier, des croix monogrammatiques, des poissons ; le fond reprend le thème de la croix avec le monogramme du Christ, flanquée de l'*Alpha* et de l'*Oméga*, le commencement et la fin. A l'entrée du baptistère sont écrits les mots *Pax* (Paix), *Fides* (Foi), *Caritas* (Charité), alors que sur les rebords de la cuve court une inscription qui comporte les noms des donateurs, le couple Aquinius et Juliana, de leurs enfants, ainsi que le nom de ceux à qui est dédié le monument : l'évêque Cyprien et le prêtre Adelfius.

Mais le VIe siècle n'a pas livré seulement des mosaïques chrétiennes. Le Bardo possède des pavements qui comportent des thèmes non religieux. Sur la célèbre mosaïque du *cirque de Gafsa* (p. 29), l'on a représenté une arène de forme ovale avec la *spina* au centre. Quatre quadriges qui correspondent aux quatre factions ou équipes qui avaient chacune leur propre couleur, s'élancent dans la course sous les yeux des spectateurs qui sont figurés en rangées superposées sur les gradins. Avec ce tableau, nous observons les caractères de l'art de la fin de l'Antiquité, annonçant celui du Moyen Age occidental : les notions de perspective et de volume ne sont plus la préoccupation des artistes, tandis que la schématisation est de plus en plus poussée. Néanmoins, ce document demeure un important témoignage de la popularité des courses de chars jusqu'au VIe siècle.

La production de mosaïques en Afrique se raréfie au VIIe siècle. Au Musée du Bardo, seul un document peut être aujourd'hui daté du VIIe siècle. Ce tableau, découvert dans les environs de Béja, représente *Achille et Chiron* (p. 46). Cet épisode de la mythologie classique évoque la légende du jeune héros Achille, monté sur le dos du centaure Chiron, s'entraînant à la chasse en attaquant un cerf, tandis qu'un animal fabuleux, la Chimère, vomit des flammes. La scène se passe dans un paysage de pins parasols. Une paire de sandales, placée en haut de la mosaïque, indique que le pavement appartenait à des thermes.

Puis, après le VIIe siècle, certains historiens d'art pensent que la production africaine s'est arrêtée et que les mosaïstes gagnèrent d'autres pays, comme la Sicile, fuyant la conquête musulmane.

Cette thèse paraît surprenante, surtout si l'on pense à la pérennité et à l'ancienneté des racines de cette technique en Afrique. La disparition de la mosaïque en Afrique après le VIIe siècle a été remise en question récemment, à travers les restes du pavement provenant du palais de Mahdia, qui fut capitale à l'époque fatimide. Quelques panneaux en sont aujourd'hui exposés au Musée du Bardo, dans le département islamique : ils représentent une composition géométrique à base de quadrilobes accompagnée d'oiseaux. La qualité de ce pavement est certes inférieure à celle des chefs-d'œuvre que nous venons de découvrir tout au long de cet ouvrage ; néanmoins, son existence prouve bien que l'Afrique comptait encore des mosaïstes au Xe siècle.

Ainsi, de l'époque punique au Moyen Age musulman, pendant au moins quinze siècles, l'Afrique a vu naître un style original de pavements qui s'est développé avec la plus grande virtuosité. Cet art, né sur la terre d'Afrique, importé en Italie, s'est ensuite à nouveau libéré de l'imitation directe du modèle romain. Bien plus, par un étonnant renversement, il influença l'Italie et, par là, le reste du monde antique : les artisans et les artistes formés en Afrique, particulièrement à Carthage, exportèrent leur style et leur production à travers la Méditerranée. C'est cette extraordinaire explosion artistique que les centaines de mosaïques exposées au Musée du Bardo permettent de retracer.

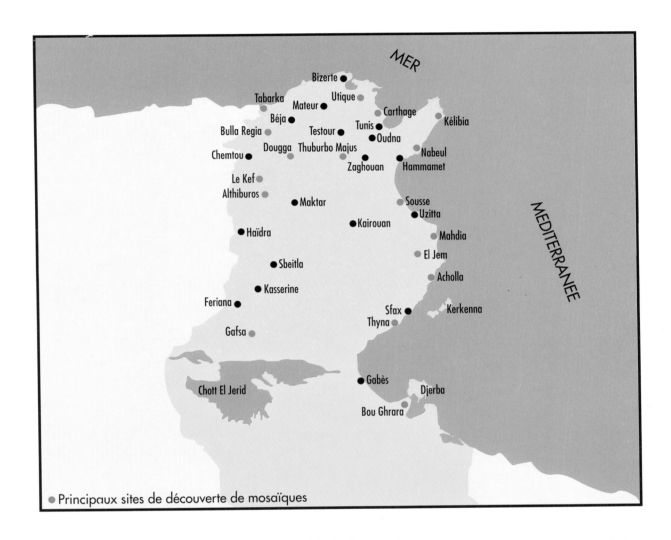

MER
MEDITERRANEE

Bizerte
Tabarka
Utique
Mateur
Carthage
Kélibia
Béja
Tunis
Bulla Regia
Testour
Oudna
Chemtou
Dougga
Thuburbo Majus
Nabeul
Zaghouan
Hammamet
Le Kef
Althiburos
Maktar
Sousse
Uzitta
Kairouan
Mahdia
Haïdra
El Jem
Sbeitla
Acholla
Kasserine
Feriana
Kerkenna
Sfax
Gafsa
Thyna
Gabès
Chott El Jerid
Djerba
Bou Ghrara

● Principaux sites de découverte de mosaïques

Les pages qui suivent présentent les plus importantes mosaïques du Musée du Bardo, le plus possible dans l'ordre de visite des salles, qui n'est pas chronologique, contrairement au texte d'introduction de ce livre. Pour chaque pavement est indiqué le titre consacré par l'usage, le lieu de découverte, la datation, la salle où se trouve exposée l'œuvre.

Victoria et "le banquier" : détail Tabarka, Chapelle des Martyrs. Fin du Ve - début du VIe siècle. Salle paléochrétienne (V). Ce détail d'un mosaïque tombale montre un personnage assis derrière un bureau dans l'attitude du scribe ou du notaire, d'où le surnom qu'on lui donne habituellement : "le banquier". Même si cette interprétation ne peut être vérifiée, c'est là un des rares allusions à la profession du défunt dans l'art funéraire chrétien.

Page de droite : **Mosaïque funéraire de Valentia**, dite de l'Ecclesia Mater. Tabarka, Chapelle des Martyrs. Fin du Ve-début du VIe siècle. Salle paléochrétienne (V). Cette mosaïque qui recouvrait la tombe d'une certaine Valentia représente la coupe d'une basilique où l'on reconnaît l'abside, les trois nefs, l'autel où brûlent trois cierges et même le sol recouvert d'une mosaïque représentant des oiseaux. Dans l'art de la fin de l'Antiquité, la perspective classique est abandonnée au profit d'un nouveau code de représentation, la "perspective aplatie" qui montre de face les extrémités qui devraient être vues de profil.

Page de gauche :
Daniel dans la fosse aux lions. *Borj-el-Youdi, chapelle funéraire des Blossii. Ve siècle. Salle paléochrétienne (V). Cette scène, très courante dans l'art paléochrétien (peinture des catacombes, sculpture des sarcophages) est inspirée de l'Ancien Testament : Daniel, prophète du VIIe siècle av. J.-C. fut jeté deux fois dans une fosse aux lions et en sortit vivant. Cette image, placée dans une tombe, est gage de salut pour le défunt.*

Construction d'une église. *Sainte-Marie-du-Zit (Oued Ramel). Fin du Ve siècle. Salle paléochrétienne (V). Ce tableau central d'un pavement de chapelle est l'une des rares figurations de la vie quotidienne sur une mosaïque chrétienne. Sur trois registres sont superposées des scènes d'un chantier de construction, avec de nombreux détails montrant les techniques employées par les maçons et les sculpteurs. Il subsiste à gauche un fragment de couronne portée par deux anges, qui constituait le centre de la mosaïque, avec une inscription.*

Baptistère de Kélibia : *détail de la cuve. Kélibia. VIe siècle. Salles paléochrétiennes. Les chrétiens de l'Antiquité pratiquaient le baptême par immersion totale, d'où la construction de cuves en mosaïque, somptueusement décorées, couvertes de symboles liturgiques, auxquelles on accédait par un escalier de plusieurs marches.*

Page de droite :
Domaine rural. Oudna. IIIe siècle. Salle de Carthage (IX). Cette mosaïque nous montre de manière pittoresque la vie d'un domaine de l'Afrique romaine, avec des scènes d'élevage, de labours et de chasse très détaillées. On remarquera en bas à gauche un personnage revêtu d'une peau de chèvre qui rabat des perdrix vers un piège.

Page de gauche :
Cirque. Carthage, colline de l'Odéon. IIIe siècle. Salle de Sousse (X). Selon une convention de l'art romain, l'édifice est représenté sans naturalisme, offrant à la fois une vue de l'intérieur et de l'extérieur. Les courses de chevaux étaient très prisées dans l'Afrique romaine, surtout à la fin de l'Antiquité, devenant même l'objet de passions excessives dont témoignent les textes.

Cirque : détail. Gafsa. VIe siècle. Salle de Sousse (X). Sur cette représentation très tardive d'un cirque sont figurées les arcades dominant les gradins, constituées de colonnes torsadées. L'idée de foule remplissant l'édifice est suggérée par la juxtaposition de têtes seules.

Page de gauche :
Domaine rural.
*Tabarka. Ve siècle.
Salle de Sousse (X).
Le pavement ornant
une petite abside
de salle à manger
offre la représ
entation de
bâtiments annexes
d'une villa,
c'est-à-dire une
riche maison de
campagne, où l'élite
de la fin de
l'Antiquité préférait
vivre le plus
souvent, loin du
tumulte de la ville
où les propriétaires
ne se rendaient que
pour leurs affaires.*

***Le domaine du
Seigneur Julius***
*Carthage. Fin Ve -
début VIe siècle.
Salle de Sousse (X).
Ce célèbre
pavement évoque,
autour de la
figuration d'une
somptueuse villa,
les activités d'un
domaine de
l'Antiquité tardive,
au rythme des
saisons, qui en
symbolisent la
pérennité.*

31

Page de gauche :
Triomphe de Neptune : *médaillon central. Sousse, Maison de Sorothus. IIIe siècle. Salle de Sousse (X). La représentation du triomphe de Neptune est un des thèmes favoris de la mosaïque africaine. Elle glorifie la puissance du dieu de la mer, dispensateur de bienfaits.*

Ci-dessus :
Pesée de la marchandise. *Sousse. IIIe siècle. Salle de Sousse (X). Les activités du commerce maritime étaient importantes dans le port d'Hadrumète (Sousse). Plusieurs mosaïques découvertes dans cette ville constituent de précieux documents pour l'étude de la marine antique.*

Les échansons :
détail. Dougga. IV
siècle. Salle de
Dougga (XI). Ces
deux échansons
géants versent du
vin dans les coupes
de deux personna-
ges ; leur amphore
porte une inscrip-
tion grecque en
caractères latins :
PIE (Bois !) sur
l'une et ZHCHC
(Tu vivras !) sur
l'autre.

Les Cyclopes dans la forge de Vulcain : détail. Dougga, Thermes des Cyclopes. IVe siècle. Salle de Dougga (XI). Le mosaïste a rendu, par une subtile palette de bruns, la puissante musculature des *géants forgeant les armes d'Achille, épisode célèbre de l'Iliade.*

Page de gauche : *Les joueurs de dés*. Détail d'une mosaïque de xenia. El Jem. Fin du IIIe siècle. Salle d'El Jem (XII). Parmi des tableaux figurant divers cadeaux d'hospitalité (fruits, animaux), cette exceptionnelle représentation d'une scène de la vie quotidienne évoque un jeu apprécié par les Anciens. Comme nos dés actuels, ceux de l'Antiquité comportaient des points, la somme de deux faces opposées formant 7 ; ils étaient utilisés soit seuls, soit pour faire avancer des pions.

Nature morte ou xenia. Détail, carafe et gobelet. El Jem. IIIe siècle. Salle d'El Jem (XII). Ce petit tableau, outre ses qualités de nature morte, est un document important sur la verrerie antique : l'enveloppe de paille ou d'osier témoigne que les bouteilles étaient bien souvent habillées en raison de leur fragilité.

Page de gauche :
Catalogue des vaisseaux : détail. Althiburos, édifice des Asclépiéia. IVe siècle. Salle d'Althiburos (XIII). Ce détail montre une embarcation où ont pris place des Amours ; le nom du bateau est indiqué en latin. Cette mosaïque, avec la figuration et le nom, en grec ou en latin, de vingt-cinq bateaux, constitue un véritable catalogue, témoignage unique pour notre connaissance de la marine romaine, quoique souvent difficile d'interprétation.

Vent : détail. Dougga, Maison du trifolium. IIIe siècle. Salle d'Althiburos (XIII). Cet écoinçon de la mosaïque dite des Néréides et de Léandre symbolise un point cardinal par une tête ailée. Selon la légende transmise par Homère et par Virgile, le séjour des Vents se trouvait entre la Sicile et l'Italie, dans les Iles Eoliennes. Le roi Eole les retenait prisonniers dans de profondes cavernes, dont ils s'échappaient parfois.

Offrande de la grue : détail. Carthage. Fin du Ve - début du VIe siècle. Salle d'Althiburos (XIII). Dans un temple, les deux divinités de la chasse, Diane et Apollon, président au sacrifice d'une grue. A côté se tiennent des chasseurs vêtus de longues tuniques et munis chacun d'une lance, sur un fond de cyprès.

Page de droite : *Paysage d'Egypte ou "mosaïque nilotique"* : détail. El Alia. Début du IIIe siècle. Salle d'Althiburos (XIII). L'Egypte symbolise, pour les Romains, une terre de fertilité et de mystère. Ainsi la représentation des bords du Nil, avec ses habitants, ses animaux et sa végétation, constitue-t-elle un sujet fréquent. Ici, un serviteur s'avance vers une chapelle où se trouve une statue de divinité. En arrière-plan sont figurés les portiques d'une ville et des palmiers.

OSNVDI IEMVS · BIBEREVE NIMVS · IAMVLTVLO QVIMINT · AVOCEMVR · NOSTRESTE NEMVS

SILENT: V DORMIANT TAVR.

Le banquet travesti. El Jem. IVe siècle. Salle d'Althiburos (XIII). Cette mosaïque complexe nous évoque le monde des sodalités, sorte de confréries, de groupes sociaux qui occupaient une place importante dans l'Afrique romaine, notamment dans l'organisation des jeux. La structure de ces sodalités demeure mal connue, mais on sait identifier leurs symboles (lierre, roseau, couronne à cinq pointes...) et leurs noms (Telegenii, Pentasii, Crescentii...). Ici sont évoquées les chasses de l'amphi-théâtre, avec des banqueteurs costumés portant les emblèmes des sodalités, installés autour d'une table qui rappelle le mur de l'arène. Les paroles retranscrites sont autant de jeux de mots faisant allusion aux sodalités.

Page de droite :
Scène de banquet : détail. Carthage. IVe siècle. Salle d'Althiburos (XIII). Sur cette mosaïque figurant un banquet les convives, que divertissent des danseurs et des musiciens, présen-tent la particularité d'être assis et non couchés, comme le voulait la tradition antique.

Achille et Chiron :
détail. Béja. VIIe
siècle. Salle
d'Althiburos (XIII).
Achille, héros de la
guerre de Troie, fut
confié par sa mère
Thétis au centaure
Chiron, qui lui
donna une
remarquable
éducation physique
et morale. La
légende rapporte
qu'il le nourrissait
de cervelles de lions
et de tigres afin de
lui donner la force
et le courage de ces
animaux. Ici, Achille
apprend à chasser
en attaquant un cerf.
Cette mosaïque est
la plus tardive
connue en Afrique
antique. La paire de
sandales suggère
que le pavement
ornait le sol de
thermes.

Page de droite :
Sélénè et Endy-
mion. Oudna,
Maison des Laberii.
IIIe siècle. Salle
d'Oudna (XIV).
Endymion, berger
d'une rare beauté,
avait obtenu de
Jupiter la faveur
d'un éternel
sommeil, sans
jamais connaître la
vieillesse et la mort.
Il dormait dans une
grotte du Mont
Latmos, en Asie
Mineure et c'est là
que la Lune (Sélénè)
venait chaque nuit
le contempler.

MEDIS LABERGICVM MEABERII VEJIAVEIT J

Orphée charmant les animaux. Oudna. IVe siècle. Salle d'Oudna (XIV). Orphée n'ayant pu ramener son épouse Eurydice du monde des morts, épanche sa douleur en des chants de lamentation qui envoûtent les animaux. Le héros musicien devient ainsi le miraculeux messager de la paix universelle.

Page de droite : **Néréide** : détail. Carthage, colline de Byrsa. Fin du Ve - début du VIe siècle. Salle des mosaïques marines (XXIII). Au milieu de poissons et de coquillages, nage gracieusement une des compagnes de Neptune et d'Amphitrite, les souverains de la mer. Elle porte une guirlande et est parée de bracelets et d'un collier.

48

Page de gauche :
Zodiaque. Détail : Saturne. Bir Chana. Fin du IIIe siècle. Salle de Virgile (XV). Cette mosaïque, où les tesselles en pâte de verre sont très utilisées, montre les jours de la semaine et les signes du zodiaque. Ici, Saturne symbolise le samedi.

Virgile. Sousse. IIIe siècle. Salle de Virgile (XV). Dans l'Empire romain, Virgile représente le poète par excellence. Dans ce portrait idéalisé, exécuté trois siècles après sa mort, le chantre du règne d'Auguste est placé entre deux muses. Le rouleau de papyrus déroulé sur son genou gauche porte le huitième vers de l'épopée qui le rendit immortel, l'Enéide.

Acanthes et oiseaux : *détail. Thuburbo Majus. 2e moitié du IVe siècle. Couloir F. Dans cette élégante et savante composition d'acanthe aux enroulements variés, jouant sur de nombreuses nuances de vert, le paon épouse la courbe et la couleur des végétaux.*

Page de droite :
Lutteurs. *Thina. IIIe siècle. Corridor de Bacchus et Ariane (XXVI). Dans la palestre, cour d'exercice attenant aux bâtiments des thermes, on pratiquait toute sorte de jeux athlétiques et sportifs, notamment la lutte.*

Pages de gauche
et de droite :
***Ulysse et les
Sirènes*** : *détails.
Dougga. IVe siècle.
Salle d'Ulysse
(XXVII). Le héros de
l'Odyssée, pour
jouir du chant des
sirènes, se fait
attacher au mât de
son bateau, tandis
que ses compagnons
ont les oreilles
bouchées par de la
cire. Les Sirènes de
l'Antiquité étaient
des monstres mi-
femmes mi-oiseaux.
Elles séduisaient les
marins par leur
chant et leur
musique et
symbolisaient
certains détroits ou
passages où les
navires couraient de
grands dangers.*

Page de gauche :
*Couronnement de
Vénus*. Carthage.
IVe siècle. Salle
d'Ulysse (XXVII).
*Sur un fond de mer
poissonneuse,
Vénus, couverte de
bijoux, se tient
assise sur un trône
richement orné et se
couronne elle-
même. Dans les
embarcations ont
pris place des
musiciennes naines.*

Ballet aérien :
*Détail. Utique. Fin
du IIIe siècle. Salle
d'Ulysse (XXVII).
Des échassiers
servent de monture
à des Amours
luttant dans un
combat parodique,
véritable ballet
aérien au-dessus
des flots.*

Apollon et Marsyas. El Jem. IIIe siècle. Salle d'Ulysse (XXVII). Le satyre Marsyas, dans un accès d'hybris (défi aux dieux) prétendit à un concours musical avec Apollon, dieu des arts, qui le condamna à être écorché. Une célèbre statue figurant Marsyus, accroché à un arbre la tête en bas, se trouvait souvent sur le forum des villes par exemple à Rome et à Carthage, symbolisant la liberté de la cité.

Page de droite : **Les chevaux vainqueurs** : détail. Carthage, Borj Jdid Ve siècle. Salle XXVIII. Un cheval broute un buisson de roses (fleurs symbolisant le printemps) qui surgit d'un cylindre de métal ou modius, orné de pierres précieuses, objet remis comme prix aux vainqueurs des courses.

Chasse au sanglier : détail. Carthage. IV siècle. Salle XXVIII. Une des grandes occupations des classes dirigeantes de l'Antiquité tardive était la chasse que les mosaïques représentent volontiers, avec un souci de pittoresque et de réalisme. Ici est figurée une battue au sanglier : l'animal, rabattu par des chiens, vien se prendre dans un filet.

Page de droite : **Chasse aux autruches** : détail. Le Kef. IVe siècle. Salle XXX. Cette mosaïque figure un scène de venatio, c'est-à-dire une chasse dans l'enceinte de l'amphithéâtre. Des autruches sont retenues dans un filet, sur l'arène parsemée de roses, et vont être livrées un combat avec des chiens.

Bacchus au gecko. El Jem. IVe siècle. Salle XXX. En Afrique romaine, Bacchus joue parfois le même rôle qu'Orphée : accompagné de ses attributs (cratère, lierre, vigne, panthère), tenant le thyrse (bâton d'immortalité) et tête nimbée, il domine les animaux sauvages, c'est-à-dire le désordre de la nature. Le gecko, ou lézard des sables, qu'il tient attaché par une patte, a des vertus prophylactiques et apotropaïques.

Poète tragique : détail. Thuburbo Majus. IIIe siècle. Salle XXX. Assis dans une attitude de méditation, sur un tambour de colonne, couronné de feuillages, un rouleau de papyrus à la main, cet acteur ou cet auteur se tient face à un autel portant deux masques tragiques qui symbolisent son art.

Page de gauche :
***Combat d'un bestiaire et d'un lion**. Thélepte. Fin du IVe siècle. Salle XXX. Dans l'amphithéâtre, le public se passionnait pour les venationes, chasses à grand spectacle, mettant aux prises des hommes et des animaux sauvages comme ici, ou encore des animaux entre eux. La recherche de l'exotisme et du contraste entre les espèces donnait tout le prix de ces exhibitions. La cadre de cette mosaïque représente de faux panneaux de marbre.*

***Le monstre Gérion**. Acholla, Thermes de Trajan. 2e moitié du IIe siècle. Salle d'Acholla (XXIII). Gérion, géant à trois corps, possédait un grand troupeau de bœufs gardé par un dragon à sept têtes. Hercule débarrassa la contrée de ce monstre, ce qui constitue l'un de ses douze travaux.*

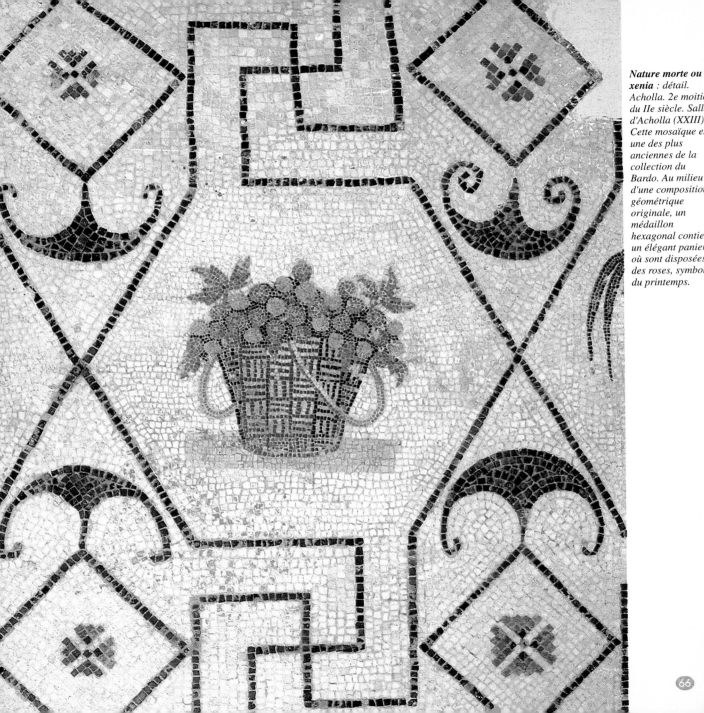

Nature morte ou xenia : *détail. Acholla. 2e moitié du IIe siècle. Salle d'Acholla (XXIII). Cette mosaïque est une des plus anciennes de la collection du Bardo. Au milieu d'une composition géométrique originale, un médaillon hexagonal contient un élégant panier où sont disposées des roses, symbole du printemps.*

Projection d'un plafond : détail. Acholla, Thermes de Trajan. 2e moitié du IIe siècle. Salle d'Acholla (XXIII). Cette mosaïque à la curieuse structure figure en fait la projection en deux dimensions d'un décor peint sur des voûtes d'une salle de thermes. Dans les frises ornées de petits personnages fantastiques, on remarquera l'abondance des jaunes et des ocres évoquant les dorures.

Diane chasseresse.
A gauche, détail
d'une mosaïque de
Thuburbo Majus,
IIIe siècle, salle
XXXI.
A droite, panneau
provenant d'Utique,
IIIe siècle, salle
XXXI. Dans un cas,
la déesse de la
chasse a pris place
sur un cerf, sa
monture habituelle.
Dans l'autre, elle a
bandé son arc et
vise une gazelle qui
broute les ramures
d'un arbre.

68

Crédits photographiques

Judith Lange : pages 24, 25, 27, 29, 30, 33, 40, 42, 45, 49, 56, 59, 60, 61, 64, 65, 66, 67.
Helmuth Nils Lose : pages 22, 23, 26, 28, 31, 32, 34, 35, 36, 37, 38, 39, 41, 43, 44, 46, 47, 48, 50, 51, 52, 53, 54, 55, 57, 58, 62, 63, 69. Photos de couverture.
Archives Cérès : page 68.

L'éditeur et l'auteur remercient Alain Rebourg
de sa collaboration pour l'édition de cet ouvrage.

Achevé d'imprimer sur les presses
des Imprimeries Réunies
groupe Cérès Productions
6, Av. A. Azzam
1002 Tunis
Mai 1998